GANGS DE RUE

Pour Raphaël, Alexis et Katy,
mon équipe préférée, pour qui je défendrai toujours les couleurs !

Marc Beaudet

À Éloi et Antoine, et à ceux qui savent faire
des concessions tout en respectant leurs convictions.

Luc Boily

Adresse municipale :

Les éditions Un monde différent
3905, rue Isabelle, bureau 101
Brossard, (Québec), Canada
J4Y 2R2
Tél. : 450 656-2660 ou 1 800 443-2582
Téléc. : 450 659-9328
Site Internet : www.umd.ca
Courriel : info@umd.ca

Adresse postale :

Les éditions Un monde différent
C.P. 51546
Succ. Galeries Taschereau
Greenfield Park (Québec)
J4V 3N8

Dépôts légaux : 4e trimestre 2012
Bibliothèque nationale du Québec
Bibliothèque nationale du Canada

Conception et dessins :
MARC BEAUDET

Textes :
LUC BOILY

Idée originale :
MARC BEAUDET

Graphisme :
OLIVIER LASSER et AMÉLIE BARRETTE

Photocomposition et mise en pages :
MARC BEAUDET

Les auteurs tiennent à remercier Marie-Claude Beaudet (la sœur préférée de Marc) pour son aide, ainsi que Johanne Lindsay pour sa contribution (oui-oui, disons-le inestimable), et Pat Laperrière (Pat, ta tondeuse à bras nous a servie comme tu n'as pas idée !)

Un gros merci aussi aux élèves des écoles Guillaume-Couture et Notre-Dame-des-Victoires pour leurs suggestions.

ISBN 978-2-89225-795-3

Nous reconnaissons l'aide financière du gouvernement du Canada par l'entremise du Fonds du livre du Canada (FLC) pour nos activités d'édition.

Gouvernement du Québec – Programme de crédit d'impôt pour l'édition de livres – Gestion SODEC.

Gouvernement du Québec – Programme d'aide à l'édition de la SODEC.

IMPRIMÉ AU CANADA

DESSINS MARC BEAUDET

TEXTES LUC BOILY

GANGS DE RUE

LA MARCHE ORANGE

UN MONDE DIFFÉRENT

LES GANGS

RAPH

FIER, COMBATIF ET AMOUREUX DES CANADIENS DE MONTRÉAL, IL FORME LA GANG DES ROUGES AVEC SON PETIT FRÈRE ALEX ET LEURS AMIS ÉLO ET PK.

PIERRE

FAN FINI DES NORDIQUES, ORIGINAIRE DE QUÉBEC, AVEC LES JUMEAUX MARIANNE ET ANTOINE, ILS SONT LA GANG DES BLEUS.

CHARRON

GRAND DADAIS DE 1,90 m, QUI À SA DÉCHARGE, PEUT ÊTRE TRÈS... ATTACHANT! AVEC SES AMIS CHAVEZ ET BERGERON, ILS FORMENT LA GANG DES NOIRS.

CHUCK SPENCER

GRANDE VEDETTE DU HOCKEY JUNIOR MAJEUR, C'EST SEULEMENT UN DRAME FAMILIAL QUI L'A EMPÊCHÉ DE CONNAÎTRE UNE GRANDE CARRIÈRE. DANS LA LNH. SA MARGUERITE ET LUI SONT LES GRANDS-PARENTS DE SANDY.

RÉJEAN GAGNON

PAS ASSEZ FUTÉ POUR SE FAIRE ÉLIRE SANS AIDE, IL EST PAR CONTRE ASSEZ HABILE POUR MANŒUVRER AFIN DE GARDER LE POUVOIR. RÉJEAN EST L'EXEMPLE PARFAIT DE L'IMBÉCILE HEUREUX.

MARCEL L'ITALIEN

CET ENTREPRENEUR, CONTRACTANT, PROMOTEUR, OMNIPRÉSENT DANS LA VILLE AIME À CROIRE QU'IL EST UN VRAI ITALIEN. ALORS QU'IL N'A D'ITALIEN QUE LE NOM DE FAMILLE... DURE RÉALITÉ POUR UN GARS ORIGINAIRE DE LA POCATIÈRE.

VENEZ VOIR CE QU'ILS VONT CONSTRUIRE!

COMPLEXE COMMERCIALO-SPORTIF
LE CARTIER 20/60

ARÉNA

◆ 115 boutique
◆ 30 restorants
◆ 8 cinéma

◆ 5 patinoires
ingluant une aréna
de 5000 siéges

MAIS...

C'EST...

DE LA...

SCHNOUTTE!

2A

ALORS, LES BAMBINOS, IMPRESZIONNÉS?

C'EST VOUS QUI ÊTES DERRIÈRE ÇA, MONSIEUR L'ITALIEN?

BIEN ZÛRE QUE CÉ MOÉ QUI ZUIS DERRIÈRE, PUISQUE CÉ MOÉ QUI METS ZE PROJET DÉ L'AVANT!

LA PREUVE, CÉ ÉCRIT 1487-3623 CANADA INC.

NON, LA PREUVE C'EST PLUS PARCE QUE C'EST PLEIN DE FAUTES.

◆ cinq

Canada inc.
1487-3623

MAIS LE BOISÉ, LUI?

LE BOISZÉ???

L'AFFAIRE DERRIÈRE VOTRE PANCARTE...

2B

LE BOIS! Y VA RESTER LÀ... QU'EST-CE QUE VOUZ PENSEZ QU'ON A PRIS POUR CONZTRUIRE L'AFFICHE?

MAIS C'EST IMPORTANT LES ARBRES, MON PAPA M'A EXPLIQUÉ QUE DANS MON PAYS, ILS ONT COUPÉ TROP D'ARBRES, PIS QUE C'EST MAUVAIS POUR LA NATURE.

3A

PK A RAISON, ÇA FRAGILISE LE SOL ET ÇA CAUSE DE L'ÉROSION, DES ÉBOULEMENTS, DES GLISSEMENTS DE TERRAIN.

PAS DÉ DANGZER, ÇA VA ÊTRE "SU L'ASPHALTE" PARTOUT.

◆ 30 res...rants
◆ 8 ci...

PIS LES ANIMAUX? Y'EN A PLEIN QUI VIVENT DANS LE BOISÉ.

DANS LE ZENTRE D'ACHATS, ON VA AVOIR PLEIN DÉ LAPINS PIS DÉ POULES DANS LE TEMPS DÉ PÂQUES.

C'EST BEN TROP, 7 000 PLACES DE STATIONNEMENT.

IL POURRAIT Y AVOIR DU HOCKEY UN ZOIR DÉ MAGAZINAGE.

CONSTRUIRE EN HAUTEUR PRENDRAIT MOINS DE PLACE ET SAUVERAIT UNE PARTIE DU BOISÉ?

EN HAUTEUR, CÉ PLOU COMPLIQUÉ, PLOU CHER... DE TOUTE FAÇZON, LA VILLE ME VEND LE TERRAIN 10 CENNES LE PIED CARRÉ.

10 ¢???

BEN, À LA SZIGNATURE, MONSIEUR LE MAIRE N'AVAIT PAS ZES LUNETTES ET IL N'A PAS MIS = LE POINT À LA BONNE PLACE...

JE N'AI JAMAIS RIEN VU D'AUSSI LAID...

...D'AUSSI MONSTRUEUX...

...D'AUSSI...

BEAU!

3B

SALUT! MOI, C'EST SANDY, JE VAIS HABITER CHEZ MES GRANDS-PARENTS PENDANT LE MOIS QUE MES PARENTS SERONT À L'EXTÉRIEUR DU PAYS.

RAPH.

ALEX.

ÉLO.

PIERRE.

MARIANNE.

ANTOINE.

CHA... CHA... CHARRON.

PIS LUI, C'EST CHA... CHA... CHAVEZ.

ÇA FAIT BEAUCOUP DE CHA-CHA-CHA, EST-CE QUE TON PÈRE ENSEIGNE LA DANSE SOCIALE?

NON, IL EST VITRIER. C'EST POUR ÇA QU'ILS ONT BEAUCOUP DE MIROIRS CHEZ EUX. DONC, IL N'EST PAS BEN HABITUÉ DE VOIR DU BEAU.

GRRR...

4A

VOUS VOUS APPRÊTIEZ À JOUER AU HOCKEY, EST-CE QUE JE PEUX JOUER AVEC VOUS?

MAIS NOUS, ON NE JOUE PAS AU HOCKEY SUR GAZON.

MOI NON PLUS, C'EST JUSTE L'UNIFORME DE MON ÉCOLE.

... C'EST QU'ON A DÉJÀ NOS GARDIENS DE BUTS.

TANT MIEUX! J'HAÏS JOUER À CETTE POSITION.

TU POURRAIS JOUER SUR LE BANC.

OFFREZ-MOI DONC DE JOUER AU HOCKEY SUR TABLE TANT QU'À Y ÊTRE!

4B

TU POURRAIS TE CHARGER DU PITON DU GARDIEN DE BUTS.

DE TOUTE FAÇON, Y'A PAS DE PARTIE, ON SE RÉUNIT CHEZ BEN.

TU VIENS PAS, TIENS, RAPPORTE MON HOCKEY À LA MAISON, PIS DIS À MAMAN QUE J'VAIS PEUT-ÊTRE ARRIVER EN RETARD POUR LE SOUPER.

VOUS AUTRES, ÇA NE VOUS TENTE PAS QU'ON SE FASSE UNE ÉQUIPE DE FILLES?

BEN... MOI J'SUIS FIDÈLE À MA GANG DES ROUGES... QUOIQUE, AVEC LES COULEURS QUE TU AVAIS TANTÔT, TU ÉTAIS PRESQUE ROUGE.

PARFAIT! ON VA ÊTRE LES ROSES!

EN TOUT CAS... ON SERAIT FORTES DANS LES BUTS.

5A

D'ACCORD, PIS MOI JE M'OCCUPE DE L'AVANT!

TOC! TOC!

TOC! TOC! TOC!

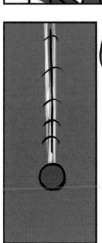

STACK!

5B

5

LES GARS, VOUS ALLEZ VOUS FAIRE PLANTER.

SÉRIEUSEMENT, AUX AUDIENCES ÇA VA VOUS PRENDRE DES ARGUMENTS MOINS FLEURS BLEUES. VOUS SAVEZ QUI EST À LA TÊTE DU PAPE?*

MARC OUELLETTE.

ON LE SAIT QUE CE N'EST PAS UN ENFANT DE CHŒUR.

AUSSI, IL FAUT SAVOIR QUE L'ITALIEN A D'ABORD ACHETÉ LA « COUR À SCRAP » DU VIEUX MORNEAU. DONC, À LA VILLE, ÇA PASSE COMME DES RÉNOVATIONS.

ENSUITE, LE MAIRE LUI A VENDU LE TERRAIN AVOISINANT DANS LE CADRE D'UN PROGRAMME D'AMÉLIORATIONS LOCATIVES.

COMPLEXE COMMERCIALO-S LE CARTIER 20

ARENA

ON POURRAIT DIRE QUE C'EST UN ANCIEN CIMETIÈRE AUTOCHTONE.

LES SEULS CADAVRES QU'ON Y DÉCOUVRIRAIT SERAIENT D'ANCIENS CONCURRENTS DE L'ITALIEN.

BEN LÀ... ON N'EST PAS LES SEULS À NE PAS VOULOIR LA DISPARITION DU BOISÉ BÉDARD?

LES P'TITS MARCHANDS DU CENTRE-VILLE CRAIGNENT AUSSI POUR LEUR DISPARITION.

ILS VONT COUPER TOUS LES ARBRES...

LE MAIRE AVAIT POURTANT PROMIS QUE LE TERRAIN DE MORNEAU IRAIT POUR UNE RÉSIDENCE POUR PERSONNES ÂGÉES.

JUSTEMENT, NOTRE MAIRE CONSIDÈRE LE CENTRE COMMERCIAL COMME UN CENTRE DE JOUR.

JE NE SUIS PAS OPTIMISTE. ÇA PRENDRAIT UN MIRACLE POUR QUE LE PAPE FASSE UNE CROIX LÀ-DESSUS.

*PROGRAMME D'AIDE AUX PROJETS ÉCONOMIQUES.

ÉLO !?!

NOUS AUTRES, ON VEUT BIEN JOUER AVEC SANDY. ON S'EST FAIT UNE GANG DE FILLES.

HEILLE, C'EST PAS SÉRIEUX? VOUS SAVEZ QU'ON HAÏT ÇA JOUER POUR LE FUN...

NOUS AUSSI. D'AILLEURS, ON A BIEN L'INTENTION DE GAGNER!

TU VAS JOUER AVEC DEUX GARDIENS?

ON DIT GARDIENNES. PIS OUI, ON VA FAIRE ÇA EN ALTERNANCE. ON NE SERA PAS LES PREMIERS...

PREMIÈRES!

... À AVOIR UN SYSTÈME À DEUX GARDIENNES DE BUTS!

PIS VOUS AUTRES... QUI VA JOUER?

7A

EUH...

PIERRE... CHARRON... PIS MOI!

PIS COMME GARDIEN? VOUS ALLEZ METTRE UNE PLANCHE DE BOIS?

NON, NON. ÇA VA ÊTRE CHARRON!

C'EST CE QUE JE DISAIS... UNE PLANCHE DE BOIS!

J'VEUX PAS GOALER, MOÉ!

T'AS PEUR D'AFFRONTER DES LANCERS DE FILLES?

EUH...

VIENS, CHARRON, ON VA TE TROUVER DE QUOI TE TRANSFORMER EN GARDIEN.

7B

POURQUOI ON NE JOUE PAS, NOUS?

ON VA AVOIR UN SYSTÈME D'UN JOUEUR SUR LE BANC, UN JOUEUR SUR LA GALERIE DE LA PRESSE.

TIENS, TIENS.

ON NE SERAIT PAS LES PREMIERS À FAIRE ÇA.

MAIS ÇA SERAIT UNE PREMIÈRE; UNE GALERIE DE PRESSE POUR DU HOCKEY BALLE.

PIS APRÈS?

BEN... ON VA ALTERNER!

UN MATCH SUR LE BANC ET UN MATCH SUR LA GALERIE DE LA PRESSE?

QU'EST-CE QUE TU PRÉFÈRES? PERDRE OU GAGNER?

MOI, SI JE NE JOUE PAS, JE CONSIDÈRE QUE J'AI PERDU.

8A

DANS LE GARARGE DES ST-DENIS...

PLASTRON.

PARFAIT!

MASQUE.

PEUT-ÊTRE.

GANT.

OUAIS.

MAILLET DE CROQUET.

NON!

SUPPORT ATHLÉTIQUE.

PFFT!

8B

CHARRON, TU RESSEMBLES À UNE MANTE RELIGIEUSE QUI S'EST TROUVÉ UN COSTUME D'HALLOWEEN À LA DERNIÈRE MINUTE.

ON DIRAIT LA MASCOTTE D'UN MARCHÉ AUX PUCES.

T'ES SÛR QUE TU VAS ÊTRE CAPABLE D'ARRÊTER LA BALLE?

J'SAIS PAS, MAIS ATTRIQUÉ D'MÊME, IL ARRÊTE LE SANG.

CHARRON, JE T'AI TOUJOURS TROUVÉ DRÔLE, MAIS LÀ C'EST LA PREMIÈRE FOIS QUE TU ME FAIS RIRE. MAIS TU ME FAIS PITIÉ AUSSI, ALORS JE TE PASSE MON HOCKEY.

PAS BESOIN, MA RAQUETTE VA FAIRE L'AFFAIRE.

CHA-CHARRON, TU AS L'AIR D'UN BRETZEL GÉANT DEVANT TON BUT.

OUAIS... ÇA ME DONNE UN P'TIT GOÛT SALÉ.

AU NOMBRE DE LANCERS QUE TU VAS RECEVOIR, JE DIRAIS PLUTÔT « POIVRÉ ».

OUÛÛÛÛÛÛ, UN BÂTON AVEC LA SIGNATURE DE WAYNE GRETZKY, ÇA DOIT BEN FAIRE 10 ANS QU'IL NE S'EN VEND PUS DE CES HOCKEYS-LÀ?

!?!

TU AS BIEN RAISON. JE NE L'AI PAS ACHETÉ NON PLUS. C'EST WAYNE GRETZKY EN PERSONNE QUI ME L'A DONNÉ L'ÉTÉ PASSÉ QUAND J'AI PARTICIPÉ À SON ÉCOLE DE HOCKEY À LOS ANGELES.

10A

HOP! HOP! HOP!

ZOUP! ZOUP! ZOUP!

KICK THE BALL, SANDY!

10B

ON DIT "BALLS", PARCE QU'IL Y EN A DEUX OU PLUS... À MOINS QUE DANS TON CAS, IL N'Y EN AIT UNE DE DISPARUE.

25 MINUTES PLUS TARD

9 À 4! CHARRON, ÇA TE DIRAIT DE FAIRE UN ARRÊT DES FOIS?

PIS TOI, ÇA TE DIRAIT DE FAIRE UN REPLI DE TEMPS EN TEMPS?

OUAIS, ÇA AIDERAIT UN REPLI DE TA PART.

CERTAIN QUE ÇA T'AIDERAIT, TANTÔT J'AI JAMAIS VU UN DÉFENSEUR SE FAIRE DÉCULOTTER COMME ÇA!

11A

JUSTEMENT, JE NE SUIS PAS DÉFENSEUR.

IL A RAISON, MOI JE TROUVE QU'IL EST PLUTÔT UN JOUEUR "GALERIE DE PRESSE".

OUAIS!

OUAIS!

AH! C'EST VRAI, TOI TU NE JOUES PAS POUR LE FUN!

BEDON BOING!

MAIS JE JOUERAIS QUAND MÊME UNE AUTRE PARTIE?

EUH... IL FAUT QUE J'ÉTUDISSE MES MATHS.

ÉTUDISSE? TU SERAIS MIEUX D'ÉTUDISSER TON FRANÇAIS.

DE TOUTE FAÇON, ON DOIT FINALISER NOTRE PRÉSENTATION DE DEMAIN DEVANT LE PAPE.

11B

PROCHAIN GROUPE : LES GANGS DE RUE DU QUARTIER HÉBERT.

VOUS ÊTES DE JEUNES CONTESTATAIRES?

NON!

TU VOIS, ILS CONTESTENT DÉJÀ.

ALORS, ON VOUS ÉCOUTE. VOUS AVEZ JUSQU'À LA PAUSE DE 10 H 20.

MAIS IL RESTE 3 MINUTES. C'EST SÛR QU'ON VA DÉPASSER NOTRE TEMPS.

PAS SEULEMENT CONTESTATAIRES, MAIS ANARCHISTES EN PLUS!

13A

NON, JE NE TRANSGRESSE PAS LE CODE VESTIMENTAIRE DE L'ÉCOLE EN PORTANT UN CARRÉ ROUGE. IL EST DANS MES CHEVEUX!

COMME YASMINE QUI PORTE UN VOILE... ROUGE COMME PAR HASARD.

YASMINE SUIT LES PRÉCEPTES DE SA RELIGION.

BIEN MOI, JE SUIS LES PRÉCEPTES DE MES CONVICTIONS. EST-CE QUE ÇA DEVRAIT ME CONDUIRE EN ENFER?

POUR L'INSTANT, ÇA VA TE MENER AU BUREAU DE LA DIRECTRICE.

13B

MERCI, LES JEUNES. J'AI BIEN ENTENDU VOS ARGUMENTS, MAIS QUANT À MOI, LE BOISÉ TRANSFORMÉ EN ESTRADES POUR L'ARÉNA, C'EST UN BEL EXEMPLE DE DÉVELOPPEMENT DURABLE.

ET L'ÉTANG?

REMPLACÉ PAR 5 PATINOIRES DISPONIBLES 365 JOURS PAR ANNÉE! ÇA VA FERMER LA TRAPPE AUX EXCITÉS QUI TRIPENT RÉCHAUFFEMENT DE LA PLANÈTE!

OUI, MAIS ELLES VONT ÊTRE LOUÉES 500 $ L'HEURE!

PAPE
ogramme d'aide aux projets économiques

14A

BEN... IL VOUS RESTE LA RUE... APRÈS TOUT, C'EST CE QUE VOUS ÊTES DES GANGS DE RUE?

ET VOTRE RAPPORT, ON PEUT SAVOIR QUAND VOS CONCLUSIONS SERONT RENDUES PUBLIQUES?

MES CONCLUSIONS? VOUS VENEZ DE LES ENTENDRE!

PAF!

COMMENT ÇA SE FAIT QUE CE SOIT LUI QUI SOIT À LA TÊTE DU PAPE?

IL EST VIEUX ET IL RADOTE.

IL NE RADOTE PAS TANT QUE ÇA... MÊME QUE JE DIRAIS QUE C'EST UN PROPHÈTE.

14B

14

IL A PRÉDIT CE QUI SE PASSERA. ON VA ÊTRE DANS LA RUE. SUIVEZ-MOI, J'AI UNE IDÉE!

SALUT, LES GARS! VOUS VOULEZ JOUER UN MATCH REVANCHE?

DÉGAGEZ, LES FILLES. ON OCCUPE LA RUE!

GRRR...

TU ÉTAIS EN JOURNÉE PÉDAGOGIQUE AUSSI?

NON, POPS EST VENU ME CHERCHER PLUS TÔT, JE SUIS SUSPENDUE DEUX JOURS PARCE QUE JE ME SUIS AFFICHÉE POUR LE GEL DES FRAIS DE SCOLARITÉ.

SAUVONS le BOISÉ!

LE QUARTIER 20/60

PIS, VOTRE MANIF?

MOYENNE.

SAUVONS le BOISÉ!

LE QUARTIER 20/60

TANT QU'À BLOQUER LA RUE, FAITES DU SPORT!

VOUS ÊTES CONTRE LE PROGRÈS.

ÇA VA CRÉER DES EMPLOIS!

Oui, le boisé est important, mais il faut que tu penses à ceux qui n'ont pas les mêmes priorités que toi.

Tu es POUR le projet de l'Italien?

Non, mais c'est normal que des gens souhaitent la création d'emplois.

Si on faisait un centre d'interprétation avec le boisé au lieu de le détruire?

Bravo! Là, tu n'es pas seulement contre, mais tu proposes quelque chose. Tu dois être plus inclusif.

Alex, ta casquette.

Comme tantôt, au lieu de chasser les filles, tu aurais dû les inviter à bloquer la rue avec nous.

MONTRÉAL | VENDREDI 43 AOÛT 2012 | VOL. XLIX N° 123 | 38 PAGES

le journal de che'nous

Âge d'or
Léa Parent réélue à la présidence
page 17

Culture
Fermeture de la bibliothèque Georges-Émile-Laplame
page 4

Quartier 20/60
PREMIÈRE PELLETÉE DE TERRE

page 5

Sur la photo dans l'ordre habituel : Marcel L'Italien promoteur, Nathalie Delorme députée provinciale, Maximilien Berner député fédéral et Réjean Gagnon maire.

C'EST BEN NIAISEUX!

TU CHANGES D'IDÉE?

JE DIS ÇA PAR RAPPORT AUX COMMENTAIRES DU MAIRE CONCERNANT LA FERMETURE DE LA BIBLIOTHÈQUE.

17A

fut une école primaire de sa construction en 1932 à 1978.

> « *Ça nous revient moins cher de fermer la bibliothèque et d'offrir à chaque famille une tablette de lecture électronique.* »
>
> *Le maire Gagnon*

C'est à partir de 1982 que l'édifice abrita la bibliothèque municipale. En 1995, le conseil municipal voulut honorer la mémoire du premier ministre de la Culture en donnant son

M. Gagnon lors d'un so spaghetti du Club Lion

TU VOIS, S'ILS INTÉGRAIENT UNE NOUVELLE BIBLIOTHÈQUE DANS LEUR PROJET, ÇA LE RENDRAIT PLUS ACCEPTABLE.

C'EST PARCE QUE J'AI PARLÉ DE LA BIBLIOTHÈQUE QUE TU TE DÉCIDES ENFIN D'ALLER PORTER TES LIVRES EN RETARD?

EUH... J'VAIS ATTENDRE ENCORE QUELQUES JOURS... ÇA VA LEUR FAIRE PLUS D'ARGENT. JE REJOINS PIERRE CHEZ BEN.

IL EST TROP TARD, ON NE PEUT PLUS ARRÊTER LE PROJET.

MAIS ON PEUT LE TRANSFORMER, L'AMÉLIORER. COMME VOUS, MONSIEUR BEN, VOUS POURRIEZ Y INSTALLER UNE SUCCURSALE?

C'EST PAS MA CLIENTÈLE.

17B

17

VOUS POURRIEZ FAIRE UN PPP AVEC LA BIBLIOTHÈQUE GEORGES-ÉMILE-LAPALME QUE LA VILLE VEUT FERMER?

IMAGINEZ, AVEC UN PROJET EN HAUTEUR, ON POURRAIT AVOIR DEUX ÉTAGES DE BIBLIOTHÈQUE ET AU REZ DE CHAUSSÉE UN CAFÉ INTERNET.

CHEZ BEN 2.0 POUR NOURRIR VOTRE CORPS... ET VOTRE ESPRIT.

👍 J'aime

C'EST GÉNIAL COMME SOLUTION PARCE QUE TOUS LES ÉTUDIANTS SONT POUR LA GEL.

LA GEL?

LA BIBLIOTHÈQUE GEORGES-ÉMILE-LAPALME.

18A

D'ACCORD. MAIS N'OUBLIE PAS QU'IL Y A UN DOSSIER OÙ TU DOIS OPÉRER UN DÉGEL.

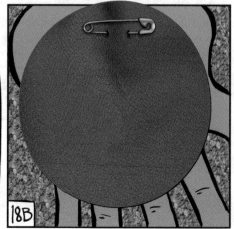

BONJOUR, MADAME MARGUERITE, EST-CE QUE SANDY EST LÀ?

PARDON POUR TANTÔT, J'AURAIS DÛ VOUS INCLURE DANS NOTRE MANIF. MAIS DEMAIN À 7 H, ON BLOQUE L'ACCÈS AU CHANTIER. VEUX-TU VENIR?

JE NE PEUX PAS, J'AI UN RENDEZ-VOUS SKYPE AVEC MES PARENTS. MAIS REGARDE CE QU'ON VOUS A DÉCOUPÉ, MA GRAND-MÈRE ET MOI, POUR VOUS IDENTIFIER.

18B

CÉ QUOI ZÉ NIAIZAGE-LÀ?

VOTRE MACHINERIE NE PASSERA PAS PARCE QUE VOTRE PROJET NE PASSE PAS!

MON PROZJET PASSE PAS? ZÉ LE OK DE TOUS LES PALIERS DÉ GOUVERNEMENT.

MAIS PAS CELUI DE LA POPULATION.

GRRR...

ON FONCE DANS LE TAS?

BEN NON, TOU ZAIS QUÉ ZÉ ZUIS CONTRE LA VIOLENCE... VA PLUTÔT DIRE AUX GARS DE DESCENDRE LA 60 IÈME ROUE, TOURNER À DROITE SUR MA ROUE, ET AU BOUT DE MON TERRAIN, ILS VONT TROUVER OUNE ACCÈS POUR ZE RENDRE AU BOISZÉ.

ET LÀ, VOUZ ALLEZ M'ARRÊTER COMMENT?

Mamma Mia! Qu'est-ce que tou fais là, garçzon?

J'essaie de sauver des arbres.

Zé veux dire... là, en plein milieu de la roue?

Je ne vous le dis pas!

La policze va té faire parler!

MONSZIEUR L'AGENT, VOUZ ALLEZ ENFIN POUVOIR PROCZÉDER À L'ARRESTATION DÉ CE JZEUNE RÉCIDIVISTE DÉ RACE... FONCÉE. QUI M'A VOLÉ DEUX ZARBRES DANS L'INTENTZION D'ENDOMMAGZER MES VÉHICOULES.

ALLÔ, * PAPA!

KISA KAP PASE, PITIT ?**

JE REVENAIS DU BOISÉ ET EN SORTANT ENTRE LES DEUX VOITURES, JE SUIS ARRIVÉ FACE À FACE AVEC LE BULLDOZER, PIS J'AI FIGÉ.

MAIS POURQUOI TU RESTES LÀ?

J'AI EU TELLEMENT PEUR QUE J'EN AI FAIT PIPI DANS MES PANTALONS, ET SI JE BOUGE, LES GENS VONT LE VOIR.

OK, BOUGE SURTOUT PAS, JE REVIENS.

21A

DONC, CE SONT VOS VÉHICULES?

ZÉ PAYE DIRECTEMENT À VOUZ?

EST-CE UNE TENTATIVE DE SOUDOYER UN AGENT DE LA PAIX?

NON, NON, NON. M. L'ITALIEN VOULAIT DIRE QU'IL VA DONNER UN MONTANT ÉQUIVALENT À CELUI DE SES CONTRAVENTIONS EN DON À L'ORGANISME DE VOTRE CHOIX.

PAS DE SCANDALE, MARCEL. SI LE FÉDÉRAL ALLONGE 100 MILLIONS, CE N'EST PAS À CAUSE DE L'AGILITÉ INTELLECTUELLE DE NOTRE DÉPUTÉ MAXIMILIEN BERNER, MAIS PARCE QU'IL PRÉPARE LES PROCHAINES ÉLECTIONS. C'EST UNE GUERRE D'OPINION PUBLIQUE QU'ON NE PEUT PAS PERDRE!

ZÉ FAIS OUNE P'TITE BLAGUE, ZÉ VAIS PAYER MES CONTRAVENTZIONNES. ET NE T'INQUIÈTE PAS, RÉJZEAN, Y'A PAS OUNE KODAK DE LA TIVI QUI A FILMÉ ÇA.

21B

* VOIR L'ALBUM NO 1, ON Y APPREND QUE L'AGENT SOUCY A TRAVAILLÉ EN HAÏTI EN 2008, APRÈS LE PASSAGE DE L'OURAGAN HANNA, ET QU'IL Y A ADOPTÉ PK, DEVENU ORPHELIN À CE MOMENT-LÀ.
* TRADUCTION DU CRÉOLE : « QU'EST-CE QUI SE PASSE, PETIT?»

T'AS VU LE NOMBRE DE CLICS ?!?

ZI, ET TOU VAS VOIR QU'ONE VA RESTER DANS LES NOUVELLES PAS MAL PLOU LONGTEMPS QU'OUNE VIDÉO D'OUNE PETIT CANICHE QUI JAPPE APRÈS OUNE ASZPIRATEUR.

BOF ! INTERNET, ZÉ VOLATILE. DEMAIN, Y VONT TOUS SE METTRE À REGARDER OUNE VIDÉO DE SUZANNE BRAILLE. ALORS QUE NOUZ AUTRES, AUSSITÔT QUE NOTRE FAFOUIN D'OTTAWA NOUZ FOURNIT LA CONFIRMATZION ÉCRITE DÉ ZON MINISTRE, HOP...

83 008

... ON FAIT NOTRE ANNONCE.

TU L'AS VU TOI AUSSI !?! SI TU VEUX, J'TE FAIS SUIVRE LA VIDÉO DU PORC-ÉPIC QUI ÉTERNUE TELLEMENT FORT QU'IL EN PERD DES AIGUILLES ?

22A

TOI, L'AS-TU VU LA VIDÉO DU PORC-ÉPIC QUI...

HA, HA !... OUI... DE RETOUR EN ONDES À L'ACTUALITÉ ACTUELLE JUSQU'À 18 H. LE MAIRE GAGNON A ACCEPTÉ DE RESTER AVEC NOUS POUR RÉPONDRE AUX APPELS CONCERNANT LA QUESTION DU JOUR : LE QUARTIER 20/60 : POUR OU CONTRE ? UN PREMIER APPEL DE M. BLIER.

37.2 fm

37.2 fm

ILS APPELLENT ÇA QUARTIER, MAIS IL N'Y A PERSONNE QUI HABITE LÀ, JUSTE DES COMMERCES. ILS DEVRAIENT CONSTRUIRE UNE TOUR DE CONDOS. LES TAXES MUNICIPALES AIDERAIENT À PAYER LE PROJET.

BONNE IDÉE, MONSIEUR...

37.2 fm

BLIER... LÉO BLIER.

MERCI...

37.2 fm

22B

...MONSIEUR BLIER.

DE RIEN.

MAINTENANT, UN APPEL DE M. SAILLANT.

AUX ÉLECTIONS, VOUS AVIEZ PROMIS AUTANT DE CONDOS QUE DE LOGEMENTS SOCIAUX. ALLEZ-VOUS AUSSI CONSTRUIRE UNE TOUR DE HLM?

BEN LÀ... CE MONDE-LÀ N'ONT PAS DE CHARS...

RAISON DE PLUS POUR INSTAURER UNE LIGNE D'AUTOBUS POUR DESSERVIR LE 20/60.

MÊME PAS BESOIN D'APPELER C'EST TOUJOURS OCCUPÉ!

LE 20/60 : POUR OU CONTRE? UN APPEL DE Mme LÉA PARENT.

EST-CE LÉA PARENT, RÉCEMMENT RÉÉLUE PRÉSIDENTE DU CLUB DE L'ÂGE D'OR?

OUI, ET JE SUIS POUR...

POUR... S'IL Y A CONSTRUCTION D'UNE TOUR POUR LES PERSONNES ÂGÉES.

ET POUR SENSIBILISER LA POPULATION, À 16 H 30, ON BLOQUE LA RUE PRINCIPALE PENDANT TRENTE MINUTES.

ALEX ET ANTOINE NE JOUENT PAS?

ALEX A DES DEVOIRS ET ANTOINE A UNE BLESSURE DONT L'ORGANISATION NE PEUT EN DÉVOILER LA NATURE.

TU VEUX DIRE QU'IL EST BLESSÉ À L'ORGUEIL PARCE QU'IL NE JOUE PAS?

ALLEZ VOUS AVOIR UN VRAI GARDIEN CETTE FOIS-CI?

ÇA VA ÊTRE ENCORE CHARRON, MAIS AVEC UN VRAI ÉQUIPEMENT...

BEN LÀ, FRANCHEMENT!!! C'EST PAS JUSTE!!!

C'EST L'ÉQUIPEMENT DE MON ONCLE, CHAQUE PIÈCE EST CERTIFIÉE PAR LA LNH.

QU'EST-CE QUI SE PASSE, GRETZKETTE, TU NE PENSES PAS ÊTRE CAPABLE DE LA METTRE DEDANS?

24A

C'EST PAS ÇA... C'EST QUE SI CHARRON EST GRAND, JE TROUVE QUE SON ONCLE EST GROS... PIS LES DEUX COMBINÉS, ÇA NE LAISSE PAS BEAUCOUP DE PLACE POUR LA BALLE.

D'ACCORD... J'VAIS TE DONNER UN TRUC. AVEC UN BON JEU DE PASSES, VOUS NE DEVRIEZ AVOIR AUCUNE DIFFICULTÉ À LE FAIRE COUCHER À TERRE.

Y'A UN GROUPE DE JEUNES DU QUARTIER HÉBERT QUI ONT BLOQUÉ UNE RUE DE LEUR QUARTIER POUR S'OPPOSER À LA DESTRUCTION DU BOISÉ BÉDARD. ALORS, NOUS LES VIEUX, ON PEUT BIEN BLOQUER LA RUE PRINCIPALE UNE DEMI-HEURE PAR SOIR POUR LA CONSTRUCTION DE RÉSIDENCES POUR NOUS!

YEAH!

OUI!

VIVE LÉA PARENT!

24B

ÇA FAIT LONGTEMPS QU'ON RÉCLAME UNE RÉSIDENCE. DES TABLES DE CONCERTATION, DES FORUMS, DES COMITÉS CONSULTATIFS. À CHAQUE FOIS LE MAIRE NOUS RÉPOND : « JE VOUS ENTENDS ». LÀ, ON VEUT QU'IL DISE : « JE VOUS ÉCOUTE, ET QU'IL FASSE CE QU'IL A ENTENDU ».

MÊME SI, POUR CE FAIRE, IL FAUT QU'ON FASSE PARLER LA RUE!

On peut se tenir debout en restant assis!

Artère bloquée? Prenez vot'pilule comme moi!

On n'a plus le temps d'être patients !

ON EST EN... CRRR... CELLE

BAWER BAWER BAWER BAWER

J'VEUX PAS TOURNER LE FER DANS LA PLAIE, MAIS C'EST RENDU 7 À 1.

JE RESTE POSITIVE EN ME DISANT QU'ON A ÉVITÉ LE JEU BLANC.

EUH... C'EST CHARRON QUI VOUS A ÉVITÉ UN BLANCHISSAGE, IL A MARQUÉ DANS SON PROPRE BUT EN FAISANT LE FANFARON.

JE N'AI PAS DIT « NOUS » NON PLUS, CAR « ON » EXCLUT LA PERSONNE QUI PARLE.

ESSAYE D'ÊTRE AUSSI BONNE AVEC TES PASSES QU'AVEC TON FRANÇAIS ET JE SUIS CERTAIN QUE VOUS ALLEZ POUVOIR MARQUER DES BUTS.

JE VEUX BIEN, MAIS TU AS VU AVEC QUI JE SUIS COINCÉE POUR FAIRE DES PASSES?

VOICI ÉLO QUI MONTE... TELLEMENT PEU EN CONTRÔLE DE LA BALLE QU'ELLE SE DÉJOUE ELLE-MÊME...

DONNE-LUI UNE CHANCE, ELLE GARDE LES BUTS NORMALEMENT.

PIS TOI, EST-CE QUE TU DONNES UNE CHANCE À TES RÉSERVISTES?

DANS MON LIVRE À MOI, JE PRENDS LE MEILLEUR JOUEUR DISPONIBLE. EST-CE QU'ON JOUE UNE AUTRE PARTIE?

ON N'A PAS LE TEMPS, RAPPELLE-TOI, ON A PROMIS D'ÊTRE DE LA MANIFESTATION DE LA GANG DE Mme PARENT.

26A

J'PEUX MARCHER LONGTEMPS, C'EST PAS MOI QUI POUSSE

UN FOYER POUR CEUX QUI MOURRENT À PETIT FEU

J'SUIS DURE DE LA FEUILLE, MAIS J'AI AUSSI LA TÊTE DURE

C'EST GENTIL DE PRÊTER UN HOCKEY DE JOUEUR À ÉLO. PIS MÊME CHARRON QUI A PRIS L'ÉQUIPEMENT DE SON AMI CHAVEZ AU LIEU DE CELUI DE SON ONCLE.

MAIS ÇA, CE N'EST PAS ...

...UNE GENTILLESSE...

26B

... C'EST PAR STRATÉGIE.

STRATÉGIE RON HEXTALL* DU GARDIEN MOBILE.

OU STRATÉGIE «ON REND LES AUTRES IMMOBILES ET ON LES OBSTRUE PAR NOTRE PHYSIQUE»?

ELLE A RAISON, RAPH, ON NE PEUT PAS REPRENDRE LE STYLE DES BROAD STREET BULLIES.**

OK, STYLE NEW JERSEY ALORS.

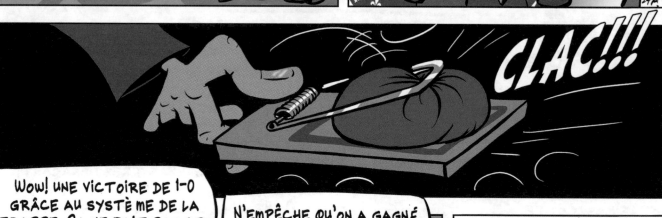

CLAC!!!

WOW! UNE VICTOIRE DE 1-0 GRÂCE AU SYSTÈME DE LA TRAPPE. ÇA NE FAIT PAS DES MATCHS TRÈS EXCITANTS.

N'EMPÊCHE QU'ON A GAGNÉ ET C'EST MAINTENANT 2 À 1 POUR LES GARS DANS LA SÉRIE.

FAIS-MOI PAS À CROIRE QUE TU AS DU FUN À JOUER COMME ÇA?

LES ENFANTS! VENEZ VOIR. LE MAIRE EST EN CONFÉRENCE DE PRESSE À TBS.

✳ GARDIEN DE BUT DES FLYERS DE PHILADELPHIE (1992-2007), MARQUEUR DE DEUX BUTS DURANT SA CARRIÈRE, IL ÉTAIT RÉPUTÉ POUR SES SORTIES DU FILET SPECTACULAIRES.
✳✳ SURNOM DES FLYERS DE PHILADELPHIE AU COURS DES ANNÉES 70.

... AINSI, LES HYPPOCAMPES DÉFENDRONT LES COULEURS DE NOTRE VILLE DANS LA LIGUE NORDIQUE DE HOCKEY!

EXCUSEZ... KARINE CAMPAGNE DE L'AGENCE QIII...

QUARTIER 20/60 HIPPOCAMPES

QI POUR QUOTZIENT INTELLECTOUEL?

NON, C'EST POUR QUESTIONS IMPERTINENTES, INFORMATIVES ET INDISPENSABLES. D'ABORD IMPERTINENTE : C'EST QUI À VOTRE DROITE, LA MASCOTTE?

NON, CÉ LE MAIRE, MAIS EFFECZTIVEMENT NOTRE MASZCOTTE SERA TOUT AUSSI EXPREZZIVE.

HIPPOCAMPES, CE N'EST PAS TRÈS MENAÇANT, J'EN AI UN CHEZ MOI, PIS IL A PEUR DES POISSONS ROUGES. ON NE SE LE CACHERA PAS, UN HIPPOCAMPE, C'EST UNE GROSSE CREVETTE AVEC UNE TÊTE DE CHEVAL MINIATURE?

TOUTES LEZ ÉQUIPES DOIVENT AVOIR OUNE NOM D'ANIMAL ET ZÉ VOULAIS QUE ZA RIME AVEC 20/60.

WOW! UNE ÉQUIPE DE LA LNH!!!

ON SE CALME, C'EST HYPOTHÉTIQUE.

NON, NON, IL L'A DIT, C'EST HIPPOCAMPES.

EN TOUT CAS, ÇA VA RENDRE LEUR PROJET PLUS POPULAIRE.

28B

28

PARLANT DE 20/60... VOUS ÊTES BIEN SUBVENTIONNÉS PAR LE FÉDÉRAL?

NOUZ AVONS REÇOU HIER LA CONFIRMATZION ÉCRITE DU MINISTRE.

POURTANT, LE FÉDÉRAL A PROMIS DE NE PAS SUBVENTIONNER LA CONSTRUCTION D'ARÉNAS PROFESSIONNELS?

JUSTEMENT... COMME ON EST SEMI-PROFESSIONNELS, IL NOUS SEMI-SUBVENTIONNE EN PAYANT LE STATIONNEMENT.

ET LE STATIONNEMENT NE SERT PAS AUX SPORTIFS?

NON, MAIS À CEUX QUI VIENNENT LES VOIR À L'ŒUVRE.

MAIS ÇA REVIENT AU MÊME, C'EST LE MÊME PROJET?

EUH... ON A TROIS PROJETS L'ARÉNA, LE CENTRE COMMERCIAL ET LE STATIONNEMENT, COMME ÇA ON PEUT FAIRE TROIS DEMANDES DE SUB...

MALHEUREUZEMENT, ON DOIT RETOURNER AU MATZCH DE CURLING EN COURS. MERCI ET BONZOIR!

OH, J'PENSE QU'ELLE A TROUVÉ UN OS.

ILS VONT TROUVER UN MOYEN DE RETOURNER ÇA À LEUR AVANTAGE.

CE SONT TOUS DES HYPOCRITES!

NOOOON! C'EST HIPPOCAMPES!

LE LENDEMAIN MATIN CHEZ KARINE CAMPAGNE

COMMENT ÇA, J'AI LES PIEDS MOUILLÉS?

TRÈS DRÔLE, L'ITALIEN.

ALORS, MONSIEUR L'ITALIEN, UNE TÊTE DE CHEVAL, C'EST UN MESSAGE DE MORT; LÀ C'EST QUOI LE MESSAGE?

ZA VEUT DIRE LÉ PONY EXPRESS EST PASZÉ, VA VOIR TON BOÎTE AUX LETTRES.

GESCOR
C.P. 14376,
succ. Centre-ville
Montréal, Québec
H3E 2Z9

KARINE CAMPAGNE

GESCOR

Chère madame,
à la suite de modifications organisationnelles, nous nous voyons dans l'obligation de mettre fin à votre contrat, et ce, immédiatement. Nous vous rappelons que la clause 17, article c, alinéa 478 de votre contrat, stipule que vous n'avez pas le droit de travailler pour un autre média pour les douze prochains mois.

30A

NOOOO OONNN!!

TOUJOURS RIEN. ÇA FAIT DEUX JOURS ET PERSONNE NE PARLE DE CE QUE LA JOURNALISTE A SOULEVÉ COMME QUESTION.

ÇA RIT DU NOM DE L'ÉQUIPE, MAIS PERSONNE NE REMET EN QUESTION LE PROJET.

BEN J'AIMERAIS ÇA MOI, UNE ÉQUIPE DE LA LNH CHEZ NOUS.

NOUS AUSSI, MAIS CE N'EST PAS UNE RAISON POUR ACCEPTER LE PROJET TEL QUEL.

C'EST POUR ÇA QU'IL FAUT CONTINUER LES MARCHES.

Une tour de HLM sinon demain je manifeste nue!

UNE BIBLIO AVANT LES SEMI - PROS

30B

BONJOUR, JE ME PRÉSENTE, BENOIT DORÉ, PRÉSIDENT DE L'ASSOCIATION DES MARCHANDS DU CENTRE-VILLE. J'ARBORE LE ROND ORANGE PARCE QUE JE CROIS À UN QUARTIER 20/60 PLUS HUMAIN.

ALAIN RACETTE, PORTE-PAROLE DES AMIS DU BOISÉ BÉDARD, NOUS PORTONS TOUS LA FEUILLE D'ÉRABLE ORANGE, PARCE QU'ON CROIT QU'UN PROJET REMANIÉ AVEC UN CENTRE D'INTERPRÉTATION ASSURERAIT LA PÉRENNITÉ DU BOISÉ.

LÉA PARENT, PRÉSIDENTE DU CLUB DE L'ÂGE D'OR, NOUS ON PORTE UN CARRÉ AUX DATTES PARCE QU'ON VEUT UN PROJET QUI TIENNE COMPTE DE NOS BESOINS... PAS JUSTE EN TERMES DE MAGASINAGE, MAIS AUSSI D'HABITATION.

C'EST POUR CELA QU'AUJOURD'HUI NOUS VOUS ANNONÇONS LA CRÉATION DE LA CLASCE ; LA COALITION LOCALE D'ACTIONS SOCIALES COMMERCIALES ET ENVIRONNEMENTALES. NOUS DISONS OUI AU DÉVELOPPEMENT, MAIS OUI AU DÉVELOPPEMENT INTELLIGENT!

DONC, TOUS LES SOIRS, NOUS EFFECTUERONS DES ACTIONS AFIN D'EXPRIMER NOS DEMANDES. TOUS LES SOIRS, DES MARCHES AURONT LIEU. DÈS CE SOIR, 17 RASSEMBLEMENTS DE 49 PERSONNES SILLONNERONT LA VILLE SELON DES ITINÉRAIRES... INDÉTERMINÉS.

ET ÇA SERA AINSI CHAQUE SOIR, TANT QUE NOUS N'AURONS PAS FAIT ENTENDRE RAISON AU MAIRE ET À SON BON AMI L'ITALIEN.

JE PENSE MÊME QUE C'EST SON COUSIN?

NON, JE PENSE PLUTÔT QUE C'EST SON PARRAIN?

CÉ PAS VRAI!!! PAS OUNE MOT SZUR NOTRE PROJZET. LES MÉDIAS EN ONT JUSZTE POUR LES MAUDITS MARCHEUX PIS LEU' CRRRRÉCZELLES DE CRÉCZELLES.

LE DÉPUTÉ BERNER M'A APPELÉ CE MATIN POUR ME DIRE QU'À OTTAWA, ILS N'AIMAIENT PAS DU TOUT LE NÉGATIF ASSOCIÉ À NOTRE PROJET.

NE T'EN FAIS PAS, RÉJZEAN. FIDÈLE À SZON HABITUDE, LE TATA À BERNER A PROBABLEMENT COMPRIS TOUT CROCHE.

OUI, MAIS BERNER A PARLÉ AU PREMIER MINISTRE EN PERSONNE ET POUR QU'IL COMPRENNE, LE PM LUI A PARLÉ EN FRANÇAIS.

DANS ZA LANGUE POUR QU'IL COMPRENNE... HI,HI,HI!

32.1

MERCI, POPS. C'EST UN BON TRUC.

MONSIEUR SZPENCER, COMME LÉ HASZARD FAIT BIEN LES CZHOSES...

HASARD?!? ÇA FAIT 17 ANS QU'ON EST VOISINS?

CÉ OUNE EXPRESSZIONNE... ON DIT ZA EN FRANÇAIS.

EUH, MONSIEUR SZPENCER, EST CE QU'ON POURRAIT ZÉ PARLER D'HOMME À HOMME. MAN TO MAN. NONO TO NONO?

CÉ DÉ L'ITALIEN... CHERCHEZ PAS À COMPRENDRE.

GO HELP TON GRAND-MÈRE AVEC LE SOUPER SWEETIE.

32.B

ZÉ PENSE QU'IL EST À PEU PRÈS TEMPS QU'ON IMMORTALISZE VOS ZEXPLOITS PASSZÉS AU HOCKEY. AFIN D'ASSZURER LA PÉRENNITÉ DÉ VOTRE LÉGENDE, VOUZ POURRIEZ ENTÉRINER NOTRE PROZJET ENTIÈREMENT, ET EN TANT QUE PORTE-ÉTENDARD DONNANT ZON AVAL, NOUS ON DONNE VOTRE NOM À L'ARÉNA, ACCOMPAGNÉ D'OUNE BONI DÉ 500 $ À LA ZIGNATOURE.

JE NE SUIS PAS SÛR D'AVOIR TOUTE UNDERTSAND, MAIS TU ME DONNES 500 PIASTRES POUR QUE L'ARINA PORTE MON NAME?

SI!

C'EST UNE BEN BONNE IDÉE!!!

ZIGNEZ ICI.

TOU AS PRIS LA PHOTO?

J'AI TOUT CE QUI ME FAUT.

33A

D'ACCORD!

YESSS!

LES GARS SONT FINALEMENT PRÊTS POUR UN MATCH REVANCHE. TU VIENS JOUER, MARIANNE?

PIS? TU VIENS-TU JOUER?

EUH... MOI, C'EST ANTOINE !

MARIANNE NE PEUT PAS JOUER, FIÈVRE, TOUX ET EXTINCTION DE VOIX.

ATCHOUM !

33B

DE TOUTE FAÇON, CONTRE QUI ALLEZ-VOUS JOUER? PIERRE VIENT DE PARTIR AVEC MA MÈRE POUR DES COURSES.

POUET!!

RAPH ME L'A DIT. C'EST POUR ÇA QU'IL FAIT JOUER ALEX.

TU PENSES QUE MARIANNE VA ÊTRE MEILLEURE PASSEUSE QU'ÉLO?

TU PENSES QU'ALEX VA ÊTRE UN MEILLEUR REMPLAÇANT QU'ANTOINE?

MARIANNE, AVEC TON KIT ON DIRAIT LE PETIT CHAPERON ROSE?

MGHMMM.

EXTINCTION DE VOIX. ELLE NE PEUT PAS PARLER.

34A

YEAH!

!?! ?!

OUPS!

34B

PETIT CHAPERON ROSE, COMME VOUS AVEZ UNE GROSSE VOIX...

COMME VOUS FAITES DES PASSES PRÉCISES...

COMME VOUS AVEZ LES BOUCLES D'OREILLES DE VOTRE SŒUR...

C'ÉTAIT SON IDÉE.

MERCI POUR TA SOLIDARITÉ.

C'EST BEN LES FILLES, TOUTES DES TRICHEUSES.

JE NE SUIS PAS UNE FILLE.

PPPRRR...

MAIS TU ES UNE TRICHEUSE.

WHOLÀ! ÇA VA FAIRE! PIS CHARRON, LUI, AVEC SON ÉQUIPEMENT FORMAT ADULTE?

CHUS PEUT-ÊTRE TRICHEUR, MAIS CHUS PAS TRICHEUSE!

LA GANG! VITE, VENEZ VOIR L'AFFICHE DU 20/60 AU BOISÉ BÉDARD!

COMPLEXE COMMERCIALO-SPORTIF

LE CARTIER 20/60

DÉJÀ 50% DES ESPACES VENDUES!

ARINA

C'est une ben bonne idée!!!

L'arèna Chuck Spencer

- ◆ 115 boutique
- ◆ 30 restorants
- ◆ 8 cinéma
- ◆ 5 patinoires
  ingluant une arèna de 5000 siè

36A

CE MATIN À L'ARCAND SOURCILLEUX, ON VA ABORDER LE DOSSIER DU QUARTIER 20/60. HIER, LES PROMOTEURS ONT RÉUSSI UN GROS COUP EN RECRUTANT... ET C'EST LE CAS DE LE DIRE, EN RECRUTANT DONC LE LÉGENDAIRE CHUCK SPENCER COMME PORTE-ÉTENDARD. LE MAIRE GAGNON SERA AVEC NOUS PLUS TARD POUR EN PARLER. MAIS D'ABORD LA CHRONIQUE...

AVEC TON ORDI, TU PEUX FAIRE DES CARACTÈRES BIZARRES COMME L'ALPHABET SLOVAQUE?

J'AI TOUTES LES LANGUES QUE TU VEUX.

ET POUR ÊTRE BEN CERTAIN, LA SORTIE DE MERCREDI : C'EST L'INSECTARIUM LE MATIN, ENSUITE ON LUNCHE À LA CAFÉTÉRIA DU BIODÔME, QU'ON VISITE APRÈS?

Oui

QU'EST-CE QUE TU TRAMES?

J'AI UNE IDÉE... MIEUX QUE ÇA! J'AI UN PLAN!!!

36B

36

C'EST MAINTENANT L'HEURE DE RECEVOIR LE MAIRE GAGNON. C'EST UN BON COUP ÇA, LE RECRUTEMENT DE CHUCK SPENCER? MAIS CROYEZ-VOUS QUE CE SERA ASSEZ POUR CALMER LA RUE?

LA RUE, LA RUE... JE N'ÉCOUTE PAS CES ANARCHISTES. MOÉ, JE ME FIE À LA MAJORITÉ SILENCIEUSE...

TIENS, TENDEZ L'OREILLE DEUX MENUTES.

ELLE NE PARLE PAS, ÇA VEUT DIRE QU'ELLE EST BEN CONTENTE.

VOUS SEMBLEZ PLUS ENCLIN À ÉCOUTER M. L'ITALIEN?

BEN D'ABORD, IL NE CRIE PAS COMME CES PERDUS-LÀ, IL ME PARLE TOUJOURS DOUCEMENT À L'OREILLE EN ME SERRANT À PEINE LES OUÏES.

PIS, ON FAIT TOUJOURS ÇA ASSIS TRANQUILLES SUR SON BATEAU AU MILIEU DU LAC.

LE MAIRE NE VEUT PAS ÉCOUTER LES GENS DANS LA RUE? C'EST NORMAL, COMME TOUT BON POLITICIEN IL EST PLUS PORTÉ À ÉCOUTER CEUX QUI FONT LE TROTTOIR.

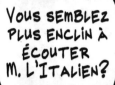

37A

GAGNON, TU TE FAIT MENER EN BATEAU

40 CONDOS = 40 LOGEMENTS SOCIAUX

Demain, j'enlève mes ronds oranges

CLASCE

UN PEU DE LUMIÈRE?

NON, PERZONNE DOIT NOUS VOIR!

SPLOUCH!

37B

DAM KIDS! C'EST EUX QUI ONT FAIT ÇA PARCE QUE J'AI DONNÉ MON NAME À L'ARINA.

PAS CERTAIN. OBSERVEZ LES TRACES.

MAIS D'ABORD, EST-CE QUE LE BAC À VIDANGES ÉTAIT LÀ HIER SOIR?

YES, JE LE METS LÀ LA VEILLE POUR ÊTRE SÛR DE NE PAS L'OÜBLIER.

LES TRACES QUI DISPARAISSENT D'UN COUP SEC, ÇA SIGNIFIE QUE LA PERSONNE A EMBARQUÉ DANS UN VÉHICULE.

LE KID PEÜT AVOIR PRIT UN BIKE.

LE BAC NE L'AURAIT PAS EMPÊCHÉ DE S'APPROCHER PLUS PRÈS COMME POUR UNE VOITURE. CECI DIT, ÇA DEMEURE UN ACTE DE VANDALISME... RESTE À PROUVER C'EST QUI.

38A

COMME TOUS LES MATINS AVANT LE BLOC NOUVELLES, C'EST UNE MONTÉE DE LAID AVEC STÉPHAN GENBON.

JE L'AVAIS DIT QUE C'ÉTAIT DES ANARCHISTES QUI NE RESPECTENT RIEN... ÉVIDEMMENT QUE JE PARLE DES MARCHEUX, DES PORTEUX DE RONDS ORANGE. QUI D'AUTRE AURAIT BIEN PU SACCAGER LA RÉSIDENCE DE M. SPENCER? DES BARBARES QUI BLOQUENT CHAQUE SOIR LA RUE PRINCIPALE DE 16 H 30 À 17 H. PAS ÊTRE AUTANT ATTACHÉ À MA TONDEUSE JOHN DEERE, JE DÉMÉNAGERAIS EN SYRIE.

ON N'A PAS LA PREUVE QUE CE SONT EUX.

BEN VOYONS! ACTE CRIMINEL + PEINTURE ORANGE = LA CLASCE. C'EST AUSSI CLAIR QUE 3 + 3 = 7!

EUH... ÇA FAIT 6.

7 QUAND ON AJOUTE LES EXTRAS. ÉCOUTE, JE SAIS COMMENT ÇA MARCHE J'AI DÉJÀ ÉTÉ MAIRE.

EN TOUT CAS, POUR L'INSTANT IL EST CLAIR QUE LE MOUVEMENT DE LA RUE CONTINUE DE PERDRE DES APPUIS.

38B

FARCES ET ATTRAPES DÉPÔT

QUATRE ÉTAGES DE FLAQUES DE VOMI EN CAOUTCHOUC, ET DE POUDRE À GRATTER!!!

UN DÉTOUR DE 5 MINUTES. TOUT EST À 13 LA DOUZAINE, MÊME LES BOMBES PUANTES!

20 MINUTES PLUS TARD.

ON ARRIVE. CHARRON ENFILE LE KANUK DE MA MÈRE.

J'COMPRENDS RIEN.

Ak chcete koho sa to týka.

Hockey Club Quebec Re
pripomenut Milan Charrô
On bude hrať hokejový z

Dekuju mnohokrat,

KRUPÍCKÍ.

JE SUIS L'INTERPRÈTE DE MILAN CHARRÔ, LA RECRUE SLOVAQUE QUE BOSTON A RAPPELÉE DES REMPARTS POUR LE MATCH DE CE SOIR.

VESTIAIRE DES VISITEURS AU FOND À GAUCHE.

AVOUEZ QUE MON PLAN EST GÉNIAL.

IL EST BON; GÉNIAL, ON AURAIT VU UNE PRATIQUE DES NORDIQUES.

BEN J'ORGANISE PAS DES VOYAGES DANS LE TEMPS.

JE GAGE QUE JE SUIS CAPABLE DE LANCER UNE FLAQUE DE VOMI JUSQU'À LA GLACE.

EN PLUS, C'EST TRÈS RARE UN MATCH INTRA ÉQUIPE LE JOUR D'UN MATCH.

IL NOUS RESTE À DESCENDRE AU NIVEAU SAINT-ANTOINE ET HOP! DIRECTION BIODÔME.

FAUT JUSTE PAS TOMBER SUR UN...

Wow! J'ai hâte de voir la face de PK quand on va lui dire qu'on a vu PK.

C'est eux autres!!!

Parfait, on est en train de les semer.

Tourne ici.

COGNE!

M. Bergevin?!?

Je ne suis pas sûr... c'est rendu que même les DG ont des commotions cérébrales.

On est des gros fans de hockey et on voulait profiter d'une sortie scolaire à Montréal pour voir une pratique des Canadiens.

C'est beau, les jeunes.

Tiens, sortez ici. Personne ne va vous achaler.

SORTIE S.GOMEZ

SAY CHEESE!

CLIC!

HI! DON HUNDERSTAND OF DE LA NEWSPAPER THE TORONTO SIN, AND MON PHOTOGRAPHE DICK SHURE.

JE FASSE UNE RIPORTE SUR VOS GRÖSSES MÂRCHES AU QUÉWBEC.

BEN... CHEZ NOUS ON FAIT UNE MARCHE CHAQUE JOUR. C'EST POUR ÇA LE ROND ORANGE, ON S'OPPOSE À...

QUELQUES MINUTES PLUS TARD

INTÉRESSANT. BOYS, DERNIÈRE PICTURE AVEC VOS RONDS ORANGES.

MAIS IL N'Y A PLUS DE MONDE.

C'EST PAS GRÄVE, DICK WILL DO UN MONTAGE.

OK, DICK, NOW OUR REPORT CHEZ PARÉ!

MAINTENANT, C'EST QUOI LE CHEMIN POUR LE BIODÔME?

EUH... C'EST PK QUI A MON PLAN.

43A

14 : 18

14 : 23

14 : 30

MON LACET!

PLUS TARD, FAUT PAS RATER LE MÉTRO.

METRO

43B

43

UN ACTE DE TERRORISTES À LA STATION DE MÉTRO PEEL. ÇA DOIT ÊTRE DU SARIN OU DE L'ANTHRAX. ÇA PUE, Y'A PLEIN DE MONDE QUI SE GRATTENT, ET BEAUCOUP DE GENS SONT MALADES...

À LA SUITE D'UN INCIDENT À LA STATION PEEL, IL Y A UNE INTERRUPTION SUR L'ENSEMBLE DU RÉSEAU. D'AUTRES MESSAGES SUIVRONT.

CHARRON, J'ESPÈRE QUE TU N'AS PAS PERDU TON PORTEFEUILLE EN TOMBANT... Y A JUSTE TOI QUI AS DE L'ARGENT POUR LE TAXI.

VITE, SORTONS, SI ON VEUT SE TROUVER UN TAXI.

JE L'AI, MAIS J'AI TOUT DÉPENSÉ CHEZ FARCES ET ATTRAPES DÉPÔT.

T'ES BEN ZÉZON, CHARRON! TES NIAISERIES NOUS ONT FAIT MANQUER LE DÉBUT DE LA PRATIQUE, T'AS DÉPENSÉ TOUT L'ARGENT, EN PLUS DE NOUS FAIRE PASSER POUR DES TERRORISTES.

HÉ, MON AMI! TI VEUX UN TAXI?

MERCI, MONSIEUR, MAIS ON N'A PLUS D'ARGENT.

PAS GRAVE, MON AMI, JE T'AMÈNE! JE COMPATIS AVEC CEUX QUI PASSENT POUR DES TERRORISTES.

D'ACCORD, MAIS ON DOIT ÊTRE AU BIODÔME AVANT 15 H.

PAS DE PROBLÈME, JE SUIS UNE BOMBE. HI-HI HI, C'EST UNE BLAGUE. HUMOUR ARABE.

TAXI

JE SUIS FIÈRE DE VOUS LES GARÇONS. JE N'AI PAS EU À VOUS RAPPELER À L'ORDRE UNE SEULE FOIS. J'AI HÂTE DE LIRE VOTRE COMPTE RENDU.

MARCEL : PAS UN VRAI ITALIEN, MAIS UNE VRAIE NOUILLE!!!

VOUZ DEVRIEZ L'ARRÊTER ZELLE-LÀ.

ELLE N'A RIEN FAIT DE CRIMINEL ET AU CIVIL ELLE RISQUE DE GAGNER.

MONSIEUR, VOTRE LACET EST DÉFAIT, IL POURRAIT VOUS ARRIVER UN MALHEUR.

DE LA PEINTURE ORANGE SUR VOTRE SEMELLE?

NON, MADAME, CHU PAS INTÉRESSÉ À M'ABONNER AU TORONTO SIN.

UN - JE NE SUISSE PAS LA DAME DES ABONNEMENTS MAIS LE PRIME MINISTRE ET DEÛX - GO LIRE LE TORONTO SIN DA MATIN, VOUS COMPRENDRE POURQUOI TON SUBVENTION EST KAPUT!

MONSIEUR L'ITALIEN, VOUS ÊTES UN CRIMINEL À CRAVATE, JE VOUS DONNERAI ALORS UNE PEINE CRAVATE. JE VOUS CONDAMNE DONC À FINANCER LE PROJET QUARTIER 20/60 À L'AIDE D'UN PRÊT 20/60. C'EST-À-DIRE : 20 MILLIONS REMBOURSABLES SUR 60 ANS... SANS INTÉRÊTS COURUS.

POUR CE QUI EST DE VOTRE ACTE DE VANDALISME, JE VOUS CONDAMNE À 300 HEURES DE TRAVAUX COMMUNAUTAIRES, EN COMMENÇANT CHEZ M. SPENCER.

BIBLIOTHÈQUE

GEORGES-ÉMILE-LAPALME

Ben 2.0   Café internet @

CENTRE D'INTERPRÉTATION DU BOISÉ BÉDARD

ARE CHUCK

C'EST BEN BEAU TOUT ÇA, MAIS C'EST PAS DEMAIN QU'ON VA JOUER AU HOCKEY LÀ-BAS.

EN EFFET, APRÈS TOUT, ON A UNE SÉRIE LES GARS CONTRE LES FILLES À TERMINER.

48A

QUOI? VOUS JOUEZ LES GARS CONTRE LES FILLES!?! ÇA FAIT TELLEMENT 1980!

MAIS LÀ... C'EST JUSTE 5 À 2 DANS LA SÉRIE. ON VEUT AVOIR UNE CHANCE DE BATTRE LES GARS.

VOYONS DONC, C'EST SÛR QUE LES GARS SONT MEILLEURS AU HOCKEY. DE TOUTE FAÇON, L'ÉGALITÉ CE N'EST PAS DANS LE RÉSULTAT. LA VRAIE ÉGALITÉ, ON LA RETROUVE DANS DES CHANCES, UN SALAIRE ET UN TRAITEMENT ÉGAUX.

MAIS ON VEUT PROUVER QU'ON EST AUSSI BONNES.

JUSTEMENT, MONTREZ LEUR QUE VOUS ÊTES MEILLEURES EN N'EMBARQUANT PAS DANS LE JEU DE LA COMPARAISON.

DONC, ON FAIT JOUER UNE RÈGLE D'AU MOINS UNE FILLE PAR ÉQUIPE?

PAS OBLIGÉ, ÇA POURRAIT ÊTRE UNE FILLE, DEUX FILLES, TROIS FILLES. IL FAUT S'AMUSER, PAS SE COMPARER.

48B

LES AUTEURS

Nom: Boily
Prénom: Luc
Surnom: Squidly
Lieu de naissance: Alma
Position: Sur le banc
Grandeur: 1,75 m
Poids: 72,5 kg
Particularité: Peu importe le sport, toujours sélectionné après la grande Moisan.

Anecdote: C'est seulement à 18 ans, dans une ligue intramurale au cégep, que Luc a joué pour la première fois au vrai hockey (avec équipement complet). Outre le fait de le voir se dépêtrer sur la glace, le plus drôle est qu'il devait observer les autres joueurs s'habiller afin d'enfiler ses pièces d'équipement dans le bon ordre.

Carrière: À part Luc, presque tous les membres de sa gang de hockey-balle ont joué à un niveau supérieur au hockey. L'un d'eux fut approché par les Remparts de Québec dès l'âge de 12 ans et deux autres jouèrent dans une équipe junior majeur, dont l'un fut repêché par les Flyers de Philadelphie. Vous comprendrez alors que quand Luc participait à un match, c'était parce que cette journée-là on jouait «pour le fun». N'ayant absolument aucune chance de percer au hockey, Luc a décidé de mettre tous ses efforts dans l'aspect du match où il réussissait le mieux… «le fun». Aujourd'hui, il gagne sa vie avec cette autre passion… il est auteur, scripteur, humoriste et enseigne l'écriture humoristique à l'École nationale de l'humour depuis 1999.

Nom: Beaudet
Prénom: Marc
Surnom: Plusieurs … (Pas Plusieurs, mais il en a eu plusieurs… qu'il vaut mieux ne pas rapporter).
Lieu de naissance: À l'hôpital
Grandeur: Pas assez
Poids: Trop
Particularité: Dessine de la droite et efface de la gauche

Anecdote: Faute de talents athlétiques, Marc se servait de sa tête. D'ailleurs, son seul et unique but fut compté lorsqu'une passe d'un de ses coéquipiers à un autre dévia dans le but après avoir frappé le casque de Marc.

Carrière: Le dessin s'apprend sur les bancs de l'école, mais aussi sur le banc des joueurs. Étant plus habile avec un crayon qu'avec un bâton, Marc a donc passé beaucoup de temps sur le banc des joueurs… où il en a profité pour observer ses coéquipiers. Tableau blanc et crayon-feutre de l'instructeur à la main… il faisait ses premières victimes. Aujourd'hui, il est dans les ligues majeures. Caricaturiste attitré du *Journal de Montréal* depuis 2002, Marc a remporté l'équivalent de la Coupe Stanley de la caricature, en devenant le meilleur caricaturiste du Canada au Concours canadien de journalisme en 2006 et en 2011. Il a également obtenu une mention honorable au *World Press Cartoon 2009* (le Championnat du monde de la caricature) pour sa caricature sur la génération Y.

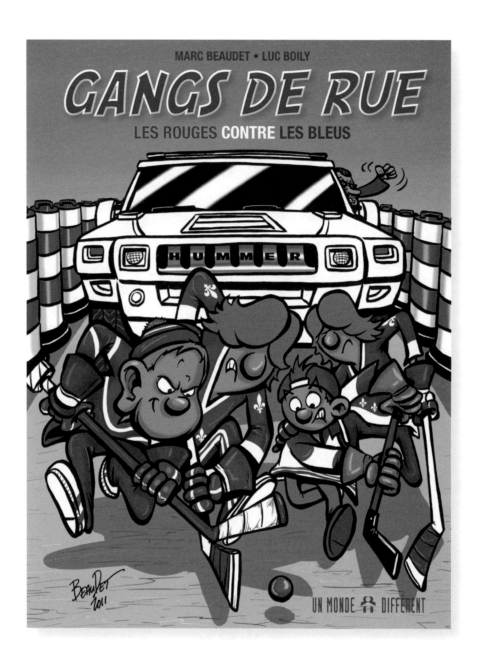

FSC
www.fsc.org
MIXTE
Papier issu
de sources
responsables
FSC® C011825

ACHEVÉ D'IMPRIMER SUR LES PRESSES DE

TRANSCONTINENTAL INTERGLOBE

EN OCTOBRE 2012